Frédéric Maupomé & Dawid
présentent

SuperS

4 . Solitudes

les éditions de la Gouttière

PEFC-Certifié
Ce produit est issu de
forêts gérées
durablement et de
sources contrôlées.
PEFC/07-31-184   www.pefc.org

Dépôt légal : août 2018
ISBN : 979-10-92111-77-4
© éditions de la Gouttière, 2018
imprimé par l'imprimerie Lesaffre à Tournai (Belgique)

Éditions de la Gouttière
147b rue Dejean, 80000 Amiens
www.editionsdelagouttiere.com

POUR NICOLAS ET ARTHUR.

Frédéric Maupomé

MERCI À TOUTE L'ÉQUIPE DE LA GOUTTIÈRE
GRÂCE À LAQUELLE ON NE SE SENT JAMAIS SEUL.
CE LIVRE EST DÉDIÉ À TOUTES LES SUPERWOMEN DE LA PLANÈTE TERRE.

Dawid

L'OBJECTIF 3 EST SÉCURISÉ ET EN TRANSIT MONSIEUR.

ATTENDS.

C'EST BON, Y'A PERSONNE.

ILS S'ENGAGENT RUE ROUSSEAU.

Rue Rousseau

CONTINUEZ À LES FILER DE LOIN.

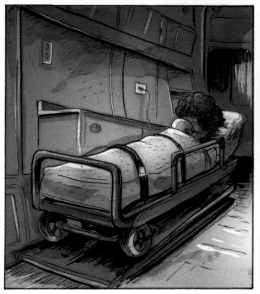

ILS VIENNENT DE PASSER DERRIÈRE MOI, MONSIEUR. JE LES AI PERDUS !

CRÉTINS DE FLICS ! JE VEUX UN RAPPORT DE SITUATION.

LÀ ! L'ÉGLISE !

AIGLE 1, JE N'AI PAS DE VISUEL.

AIGLE 2. PAS DE VISUEL.

DONG ! DONG !

AIGLE 3. RIEN ICI.

JE LES VOIS ! ILS SE MÊLENT À LA FOULE DEVANT LA BASILIQUE.

ON EN EST OÙ DU DRONE ?

JE TRANSMETS LES IMAGES DE LA FOULE SUR L'ÉCRAN PRINCIPAL, MONSIEUR.

TROUVEZ-LES !

À TOUTES LES UNITÉS : SURVEILLEZ LES SORTIES.

EN CE JOUR DE NOËL, IL EST IMPORTANT DE REVENIR AUX RACINES DE NOTRE FOI : OUVRIR NOTRE CŒUR.

OUVRIR NOTRE CŒUR AUX AUTRES, À CEUX QUI SONT DIFFÉRENTS,

QUI VIENNENT D'AILLEURS, À CEUX QUI N'ONT RIEN.

N'OUBLIEZ PAS QUE JÉSUS FUT MIS AU MONDE DANS UNE ÉTABLE...

... CAR IL N'Y AVAIT PAS DE PLACE DANS LA MAISON COMMUNE.

SUIS-MOI !

N'OUBLIEZ PAS QUE MARIE ET JOSEPH, MENACÉS PAR LE POUVOIR D'HÉRODE, FIRENT L'EXPÉRIENCE DE CE QUE SIGNIFIE ABANDONNER SON FOYER...

MONTE !

... DE SE RETROUVER SANS RIEN EN TERRE ÉTRANGÈRE. ALORS MES FRÈRES ET SŒURS,

OUVRONS NOS CŒURS.

OÙ ON VA, MAINTENANT ?

MAIS QU'EST-CE QUE C'EST QUE CE TRUC ?

15

16

MONSIEUR, J'AI UN PROBLÈME AVEC LE DRONE.

ILS SONT PASSÉS PAR ICI !

GROUILLE !

ALLEZ !
TRAÎNE PAS !

SUIS-MOI,
J'AI UNE IDÉE.

TAP
TAP !

?

VOUS ALLEZ FAIRE
EXACTEMENT CE QUE
JE VOUS DIS...

J'AI QUE DES PÂTES, ÇA VOUS VA ?

LES ASSIETTES SONT DANS LE PLACARD.

SSSHHH

MERCI.

CLIC

VOUS DORMIREZ DANS LA CHAMBRE DE MON FILS.

IL Y A UN MATELAS SUPPLÉMENTAIRE SOUS LE LIT.

IL DORT PAS ICI ?

NON.

IL EST MORT.

...

J'SUIS DÉSOLÉE.

C'ÉTAIT IL Y A LONGTEMPS.

ET VOTRE PETIT FRÈRE ?

IL A ÉTÉ CAPTURÉ.

ESSAYEZ DE DORMIR.

J'SUIS DÉSOLÉE POUR LA FENÊTRE.

MAT ! MAT !
RÉVEILLE-TOI !

LES FLICS
ARRIVENT !

IL NOUS A
VENDUS, CE
SALAUD !

TAP TAP...

OH !
DU CALME !

ÇA VOUS
DIT, DES
CROISSANTS ?

CH'EST
BON...

FAUT QU'ON
RETROUVE BENJI.

Z'ALLEZ
NOUS AIDER ?

C'EST À CAUSE
DE MOI...

IL VA FALLOIR
QUE VOUS ME
RACONTIEZ TOUT.

PREMIÈREMENT, LES CAMBRIOLAGES ET TOUT ÇA, C'EST TERMINÉ, D'ACCORD ?

ENSUITE, MOI, JE VAIS TÂCHER DE ME RENSEIGNER SUR L'ENDROIT OÙ ILS ONT EMMENÉ VOTRE FRÈRE.

POUR L'INSTANT, VOUS RESTEZ ICI.

C'EST VRAI ? ON PEUT ?

BIEN SÛR.

ET SI QUELQU'UN VIENT ?

JE NE REÇOIS PAS BEAUCOUP.

NE SOYONS PAS TROP PRESSÉES DE LES RENCONTRER.

QUAND ON VOIT CE DONT EST CAPABLE LE PETIT, IL Y A EN EFFET DE QUOI S'INQUIÉTER.

IL FAIT QUOI, LÀ ?

UNE PARTIE DE SES POSSESSIONS EST EN COURS D'ÉTUDE.

POUR L'INSTANT, ON N'EN A PAS TIRÉ GRAND-CHOSE. LE RESTE DES ANALYSES NOUS ARRIVERA BIENTÔT.

IL FAIT SEMBLANT DE DORMIR.

C'EST NOTRE...

JE SAIS PAS COMMENT DIRE...

ON AURAIT BESOIN DE AL.

C'EST QUI AL ?

NOTRE NOUNOU ?

C'EST UN GENRE DE ROBOT SI VOUS VOULEZ... QUI S'OCCUPE DE NOUS.

IL ÉTAIT DANS LA MAISON.

LES FLICS, HEU,

LA POLICE, J'VEUX DIRE, L'A PRIS AVEC NOS AFFAIRES QUAND ILS ONT TOUT FOUILLÉ.

AVEC VOS AFFAIRES ?

IL RESSEMBLE À QUOI, CE AL ?

BEN, J'SAURAIS PAS TROP LE DÉCRIRE, J'PEUX VOUS MONTRER À QUOI IL RESSEMBLE.

TU VEUX UNE FEUILLE POUR LE DESSINER ?

PAS LA PEINE.

?

WOHWOHWOH !

JE NE SAIS PAS COMBIEN DE TEMPS ELLES VONT RESTER LÀ, PAR CONTRE.

LA SÉCURITÉ INTÉRIEURE EN A DÉJÀ TRANSFÉRÉ PAS MAL.

LA SALLE DES PIÈCES À CONVICTION...

VOUS POUVEZ ME FAIRE UN PLAN ?

SI TU VEUX, MAIS TU NE POURRAS PAS PASSER.

IL Y A UN GARDE, DES CAMÉRAS...

ET LES MURS SONT ÉPAIS...

38

SALLE
des PIÈCES à
CONVICTION

LAISSEZ-MOI ENTRER,
S'IL VOUS PLAÎT.

BIEN SÛR,
MONSIEUR.

BONJOUR...

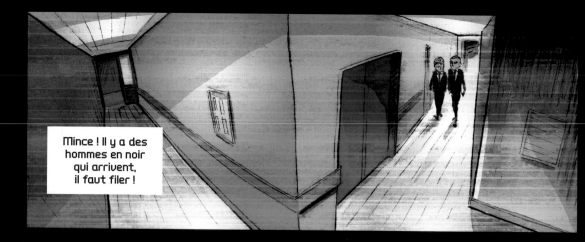

Mince ! Il y a des hommes en noir qui arrivent, il faut filer !

NON MAIS FAUT LES VOIR LES MECS. ILS DÉBOULENT ET ILS ME DISENT "NOUS RÉQUISITIONNONS VOTRE BUREAU." NI BONJOUR, NI MERCI...

ET T'AS RÉPONDU QUOI ?

NOUS AVONS DÛ FAIRE RENFORCER LE BLINDAGE DES MURS.

IL EST EXCEPTIONNELLEMENT RÉSISTANT, NOUS N'AVONS TOUJOURS PAS TROUVÉ LE MOYEN DE PÉNÉTRER SA PEAU.

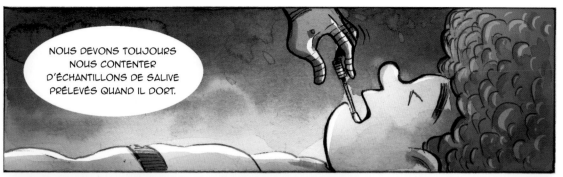

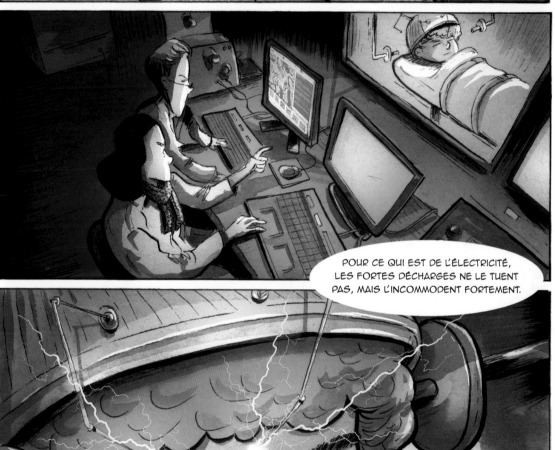

MARTIN, JE TE PRÉSENTE AL.

AL, JE TE PRÉSENTE MARTIN.

IL EST FL... POLICIER.

INSPECTEUR.

ET IL NOUS A ACCUEILLIS CHEZ LUI.

HEU... BONJOUR.

Bonjour.

VOUS ÊTES QUOI, UN GENRE DE ROBOT ?

Une intelligence artificielle de classe V.

AH. ET C'EST BIEN ÇA ?

Je suis beaucoup plus intelligent que vous, si c'est ça la question.

NON, C'ÉTAIT PAS ÇA.

MAIS POURQUOI AVEZ-VOUS ÉTÉ, HEU, CONÇU ?

C'EST NOTRE NOUNOU.

Oui, si on veut.

Je suis chargé de m'occuper d'eux.

SCRUNTCH

AH BON... PARCE QUE VOUS N'AVEZ PAS L'AIR TRÈS MOBILE POUR UNE NOUNOU...

Ce n'était pas ma fonction première.

D'ACCORD.

LES ENFANTS PENSENT QUE VOUS POUVEZ NOUS AIDER À RETROUVER BENJI.

COMMENT VA-T-ON FAIRE ÇA ?

Je vais voir ce que je peux trouver sur le réseau.

AH... IL FAUT QUE JE RETROUVE MES IDENTIFIANTS ET MES MOTS DE PASSE ALORS.

Ne vous embêtez pas pour ça...

Hmmm...

Elle n'est pas terrible votre connexion Internet.

IL FAUDRAIT QUE J'EN CHANGE ?

Non c'est bon. Heureusement que vous avez des voisins...

Vous avez des renseignements à me fournir sur ces policiers ?

PAS GRAND-CHOSE, ILS SONT DE LA SÉCURITÉ INTÉRIEURE.

LEUR COMMANDANT EST LE CAPITAINE...

... BLANCHET JE CROIS.

JE N'AI PAS VRAIMENT EU DE RAPPORTS AVEC EUX.

ILS AVAIENT DES CONTACTS DIRECTS AVEC LE COMMISSAIRE.

Pff... ça me fait déjà un point de départ.

BON BEN... MOI, IL VA FALLOIR QUE J'AILLE AU TRAVAIL.

VOUS SAVEZ SI VOUS EN AUREZ POUR LONGTEMPS ?

Pourquoi ? Vous voulez nous mettre dehors ?

MAIS PAS DU TOUT ! JE DEMANDE JUSTE.

Je ne peux pas savoir pour l'instant.

Ça dépendra de leurs mesures de sécurité.

Mais ça peut être long.

Surtout que je dois prendre des précautions supplémentaires pour qu'on ne remarque pas de changement dans vos habitudes Internet.

J'Y VAIS ALORS.

JE VOUS LAISSE LES ENFANTS. ÇA VA ALLER ?

OUAIS, C'EST BON, Y'A LA TÉLÉ.

JE SUIS ALLÉ FAIRE DES COURSES !

J'ESPÈRE QUE J'AI PRIS LES BONNES TAILLES.

OH, C'EST GENTIL, MAIS C'ÉTAIT PAS LA PEINE !

AL NOUS A FAIT LIVRER DES VÊTEMENTS.

AH.

MAIS C'EST PAS GRAVE ! ÇA NOUS FAIT ENCORE PLUS D'ESSAYAGES !

JE NE SUIS PAS D'ACCORD.

Avec quoi

AVEC CE QUE VOUS FAITES. JE NE SUIS PAS STUPIDE, VOUS SAVEZ.

Hmmm...

VOUS AVEZ RÉALLOUÉ DES FONDS...

C'EST BIEN CE QUE JE DIS.

C'EST DU VOL.

CES VÊTEMENTS QUE VOUS AVEZ ACHETÉS POUR LES ENFANTS, VOUS LES AVEZ VOLÉS.

Non. J'ai réalloué des fonds avec lesquels je les ai achetés.

JE N'ACCEPTE PAS ÇA CHEZ MOI.

Vous pensez vraiment que ces 100 euros vont manquer à la multinationale à laquelle je les ai pris ?

Une multinationale qui fait travailler des enfants et qui planque son pognon dans des paradis fiscaux ?

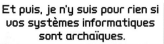

Et puis, je n'y suis pour rien si vos systèmes informatiques sont archaïques.

C'EST VOTRE FAUTE SI VOUS VOUS EN SERVEZ.

Les flics. Vous êtes bien tous les mêmes.

Toujours à prêcher la vertu et à protéger les puissants.

MAIS ÇA N'A RIEN À VOIR !

Je n'ai pas à adhérer à votre morale humaine.

JE NE VOUS DEMANDE PAS D'Y ADHÉRER.

JE VOUS DEMANDE DE LA RESPECTER.

J'AI SUFFISAMMENT D'ARGENT POUR LEUR ACHETER DE QUOI S'HABILLER.

Pff...

TADAAAA !

ALORS, ÇA ME VA BIEN ?

Ça te va super.

COOL ! JE VAIS ESSAYER AUTRE CHOSE ALORS !

VOUS AVEZ ÉTÉ CONÇU POUR QUOI AU DÉPART ?

Pour ne pas répondre aux interrogatoires.

Si vous voulez bien m'excuser, j'ai des recherches à mener.

J'AI RAMENÉ DES FILMS !

COOL !

E.T. ? VRAIMENT ? VOUS ÊTES PAS TRÈS PSYCHOLOGUE VOUS...

OH. J'AVAIS PAS PENSÉ...

VOUS AVEZ PAS PENSÉ QUOI ?

UN PETIT EXTRATERRESTRE POURCHASSÉ PAR LE GOUVERNEMENT ? SUPER BONNE IDÉE...

BONNE SOIRÉE.

CLAC !

T'EXAGÈRES !

EN PLUS, ON L'AVAIT AIMÉ CE FILM QUAND ON L'AVAIT LOUÉ TOUS LES TROIS.

NON, MAIS C'EST LUI QUI M'ÉNERVE LÀ...

TU TE FOUS DE MOI ?

IL EST GENTIL, C'EST TOUT !

IL NOUS PROTÈGE !

IL PREND DES RISQUES POUR NOUS !

SI ON L'AVAIT SUIVI LA PREMIÈRE FOIS QU'ON L'A VU, HÉ BEN...

HÉ BEN QUOI ?

TU CROIS QUE JE LE SAIS PAS ?

TU CROIS QUE JE LE SAIS PAS QUE C'EST À CAUSE DE MOI, TOUT ÇA ?

QUE C'EST PARCE QUE
J'AI PAS FAIT LES BONS CHOIX
QUE BENJI EST ENFERMÉ
TOUT SEUL QUELQUE PART ?

AL LE CHERCHE
DEPUIS PLUS D'UNE
SEMAINE ET...

ON VA LE
RETROUVER,
TU SAIS...

J'SUIS SÛRE
QU'AL VA LE
RETROUVER.

IL LUI FAUT
UN PEU DE TEMPS,
C'EST TOUT.

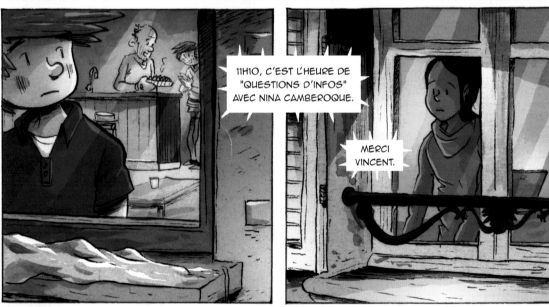

11H10, C'EST L'HEURE DE "QUESTIONS D'INFOS" AVEC NINA CAMBEROQUE.

MERCI VINCENT.

NOUS VIVONS UNE ÉPOQUE DIFFICILE POUR LES JOURNALISTES ET L'INFORMATION.

L'ABONDANCE ET LE DEGRÉ DE SOPHISTICATION DE PLUS EN PLUS IMPORTANT DE CE QU'ON APPELLE LES "FAKE NEWS",

CES FAUSSES NOUVELLES QUE L'ON DÉGUISE POUR QU'ELLES AIENT TOUTE L'APPARENCE DE LA VÉRITÉ,

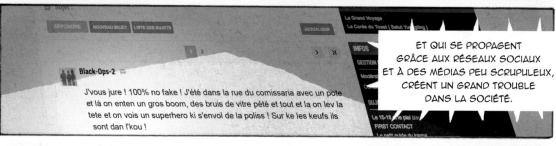

> Black-Ops-2
>
> J'vous jure ! 100% no fake ! J'été dans la rue du comissaria avec un pote et là on enten un gros boom, des bruis de vitre pété et tout et la on lev la tete et on vois un superhero ki s'envol de la poliss ! Sur ke les keufs ils sont dan l'kou !

ET QUI SE PROPAGENT GRÂCE AUX RÉSEAUX SOCIAUX ET À DES MÉDIAS PEU SCRUPULEUX, CRÉENT UN GRAND TROUBLE DANS LA SOCIÉTÉ.

AUJOURD'HUI, CHERS AUDITEURS, AVEC NOS INVITÉS GUILLAUME BRANDELY, UFOLOGUE ET SPÉCIALISTE DU PARANORMAL...

RETOUR SUR LA RUMEUR QUI AVAIT ENFLAMMÉ LA VILLE : L'EXISTENCE DE SUPER-HÉROS.

GAZ

... ET MARIE VANDAELE, GRAND REPORTER,

SSSSSHHHHH

HEU,
BONJOUR...

C'EST VOUS
LE NOUVEAU ?

JE... JE PEUX LE VOIR ?

SUR LE MONITEUR 4.

MAIS, C'EST UN ENFANT !

UN ENFANT ?

PLUTÔT UNE BÊTE SAUVAGE, OUI...

CROYEZ-MOI, NE VOUS LAISSEZ PAS ATTENDRIR PAR SON ASPECT EXTÉRIEUR.

C'EST PROBABLEMENT LA CRÉATURE LA PLUS DANGEREUSE DE LA PLANÈTE.

REGARDEZ CE QU'IL A FAIT DE JENKINS.

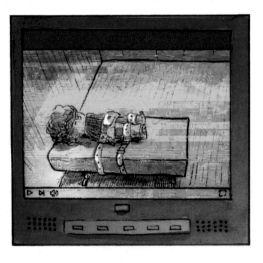

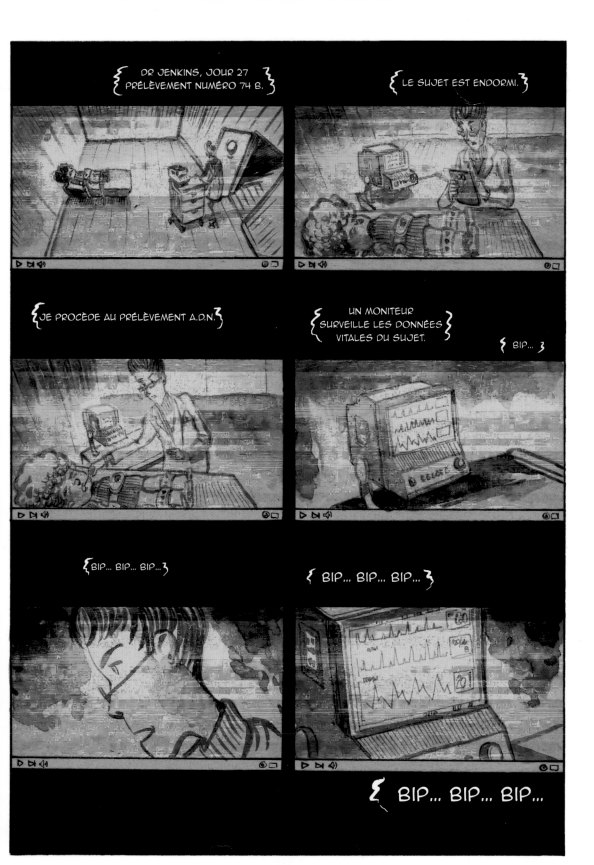

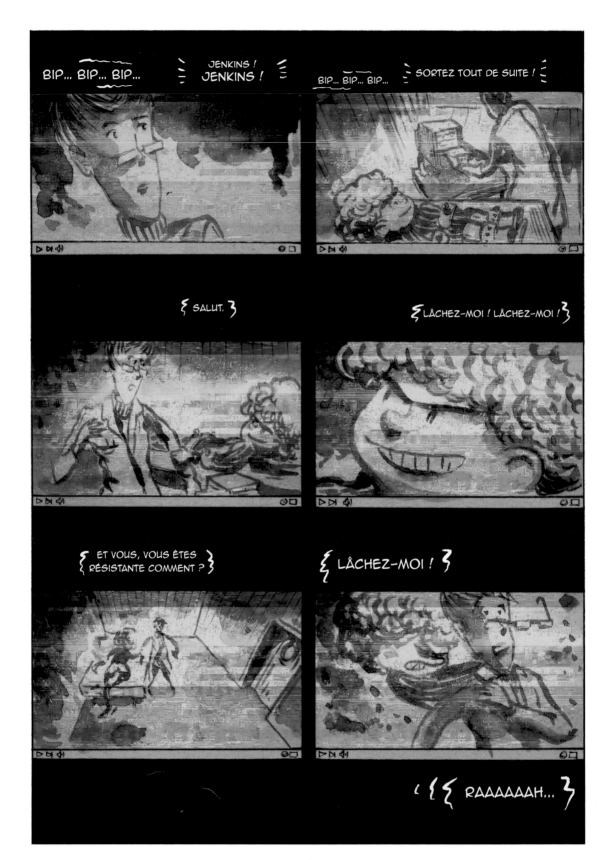

72

DEPUIS, NOUS AUGMENTONS RÉGULIÈREMENT LES DOSES DE SÉDATIF.

IL SEMBLE Y DÉVELOPPER UNE FORME DE RÉSISTANCE.

MAIS C'EST AFFREUX ! QU'AVEZ-VOUS DIT À LA FAMILLE ?

OFFICIELLEMENT JENKINS EST DÉCÉDÉE D'UN ACCIDENT DE LA ROUTE.

ON N'EN PEUT PLUS DE RESTER ENFERMÉS, DE REGARDER LA TÉLÉ JUSQU'À AVOIR LE CERVEAU QUI NOUS COULE PAR LES OREILLES !

ON EN A MARRE D'ÊTRE COINCÉS DANS CETTE MAISON LUGUBRE, AU MILIEU DES FANTÔMES DE VOTRE FEMME ET DE VOTRE FILS.

ICI C'EST PIRE QU'UNE PRISON !

C'EST UN CIMETIÈRE !

MAT !

ET ON EST PAS VOTRE FAMILLE, OK ?

VOUS POUVEZ FAIRE SEMBLANT D'ÊTRE LE GENTIL PAPA, ET LILI PEUT RENTRER DANS VOTRE JEU,

MAIS C'EST QUE ÇA, OK ?

UN JEU !

NOS PARENTS, ILS SONT PAS LÀ !

VOTRE FEMME ET VOTRE FILS NON PLUS !

TOUT ÇA C'EST PAS RÉEL !

JE SUIS DÉSOLÉ SI...

ALLEZ VOUS FAIRE FOUTRE !

BLAM!

FAUT L'EXCUSER, C'EST LE STRESS DE PAS RETROUVER BENJI...

FAUT PAS FAIRE ATTENTION À CE QU'IL DIT.

JE SAIS QUE LA SITUATION N'EST PAS FACILE POUR VOUS.

EN PLUS, IL A ZÉRO NOUVELLE DE SA COPINE ALORS FORCÉMENT...

IL EST UN PEU À CRAN.

C'EST PAS GRAVE...

IL N'A PEUT-ÊTRE PAS TORT SUR TOUT.

79

JE SUPPOSE QU'EN FAISANT ATTENTION ON POURRAIT ESSAYER DE SORTIR.

LES AVIS DE RECHERCHE ONT ÉTÉ LEVÉS ET PLUS PERSONNE NE PARLE DE CETTE HISTOIRE DE SUPER-HÉROS.

LE MIEUX SERAIT QUAND MÊME DE VOUS COUPER LES CHEVEUX, POUR PASSER DAVANTAGE INAPERÇUS.

ON TOUCHE PAS À MES CHEVEUX !

DE TOUTE FAÇON VOUS AVEZ SÛREMENT PAS DES CISEAUX ASSEZ SOLIDES POUR LES COUPER.

C'EST VRAI ?

NON...

MAIS ON TOUCHE PAS À MES CHEVEUX QUAND MÊME !

BON... SINON, AVEC UNE CAPUCHE ÇA DEVRAIT ALLER...

SUPER !

VOUS VOULEZ Y ALLER ?

PARCE QUE C'EST UN EXTRATERRESTRE, JE VOUS SIGNALE.

ET C'EST UN SUPER-HÉROS, EN PLUS.

MAIS SINON IL Y A SÛREMENT D'AUTRES FILMS, HEIN...

NON C'EST SUPER ! ON VA VOIR ÇA !

LE GARS, IL EST CENSÉ PROTÉGER L'HUMANITÉ, ET IL CASSE TOUT.

MAIS N'IMPORTE QUOI !

T'IMAGINES COMBIEN IL A DÛ Y AVOIR DE MORTS QUAND ILS ONT DÉTRUIT LES IMMEUBLES ?

OUAIS C'EST CLAIR ! PAR CONTRE, T'AS VU, IL A DES POUVOIRS SUPER-CLASSE.

LA VISION, LÀ, C'EST COOL.

N'EMPÊCHE, IL A L'AIR RIDICULE AVEC SA CAPE.

LA CAPE C'EST TRÈS BIEN !

TU DIS ÇA PARCE QUE T'ES JALOUX !

Je vois que vous avez passé une bonne journée.

SALUT AL, ÇA VA ?

J'ai terminé ma recherche.

HÉ BEN VAS-Y ! DIS !

J'ai pénétré les serveurs de la Sécurité intérieure.

Il n'y a aucune trace de Benji, ni d'aucun événement qui s'est déroulé ici.

Rien non plus sur un capitaine Blanchet.

ÇA VEUT DIRE... ÇA VEUT DIRE QUE C'EST FOUTU, C'EST ÇA ?

Non ça veut dire qu'il n'y a pas de traces.

Ils sont restés à l'écart du réseau. C'est comme si toute cette affaire n'avait pas existé.

MERDE...

Mais ça m'a donné l'idée de chercher s'ils cachaient d'autres choses comme ça.

J'ai pu détecter plusieurs bâtiments sous l'autorité de la Sécurité intérieure entièrement coupés du réseau.

COUPÉS DU RÉSEAU ?

Pas d'Internet, aucune connexion extérieure.

J'ai dû faire des recoupements en piratant les bases de données de leurs fournisseurs pour savoir qu'ils existent.

Il y en a 5.

Le plus proche est à environ 200 km.

Je ne peux rien vous dire de plus tant que je ne serai pas sur place.

N'oubliez pas la ceinture, je n'ai pas envie de me retrouver par terre parce que vous avez le pied un peu lourd.

T'AS PAS À TOUT PRENDRE SUR TES ÉPAULES, MAIS T'AS PAS LE DROIT DE M'ABANDONNER NON PLUS !

J'AI BESOIN DE TOI.

BENJI A BESOIN DE TOI !

IL FAUT QU'ON AILLE LE CHERCHER !

NON MAIS TU TE RENDS COMPTE DES RISQUES ?

ON FERAIT MIEUX DE...

JE SAIS PAS MOI, DE...

DE QUOI ?

JE CROYAIS QUE TU SUPPORTAIS PAS DE RESTER ENFERMÉ !

ET SI C'ÉTAIT UN PIÈGE ?

ENCORE ?

BEN, SI C'EST UN PIÈGE, ILS PRENDRONT QUE MOI, VISIBLEMENT.

BLAM!

CLAC!

ALLONS-Y.

MAT ?!

93

Prenez la prochaine sortie.

Éteignez vos phares, on approche.

On y est.

C'EST UNE BASE SECRÈTE, ÇA ?

EN TOUT CAS, C'EST GARDÉ...

VOUS ÊTES SÛR QUE C'EST LÀ ?

Certain.

D'ici, je peux me connecter à leur réseau interne. Tout concorde.

J'Y VAIS.

TOUTE SEULE ?
C'EST DE LA FOLIE !

ON AVAIT JUSTE DIT
QU'ON FAISAIT
UN REPÉRAGE.

IL FAUDRAIT
RÉFLÉCHIR
À UN PLAN !
ON POURRAIT...

C'EST GENTIL,
MAIS J'Y VAIS.

C'EST MON PETIT
FRÈRE QUI EST
LÀ-BAS, DANS
CETTE PRISON.

MAIS S'ILS
TE CAPTURENT...

AU MOINS, IL SERA PLUS TOUT SEUL.

MERCI POUR TOUT.

PRENEZ SOIN DE MAT SI JE REVIENS PAS.

AL, TU ME COUVRES ?

Je suis déjà dans leur système, petite.

Sois prudente.

Sésame
ouvre-toi.

ZZZZZZZ

?

ENDORMEZ-VOUS,
JE VAIS ENTRER.

TOUTE SEULE ?

MAIS POURQUOI T'ES PAS AVEC ELLE ?

JE SAIS PAS...

J'AI PAS PU.

C'EST À CAUSE DE MOI, TU COMPRENDS.

J'AI FAIT QUE DES CONNERIES.

TOUT LE TEMPS.

CHAQUE FOIS QUE J'AI ESSAYÉ D'ARRANGER LES CHOSES, ÇA A EMPIRÉ.

ET MAINTENANT BENJI A ÉTÉ CAPTURÉ...

ET LILI...

MINCE !

HAAAAAAAA !!!

MAT...

QUAND ON FAIT QUELQUE CHOSE
ET QUE ÇA SE PASSE MAL, ON S'EN VEUT.

C'EST
NORMAL.

MAIS ON S'EN VEUT
BEAUCOUP PLUS QUAND
ÇA SE PASSE MAL PARCE
QU'ON N'A RIEN FAIT.

ÊTRE UN SUPER-HÉROS, C'EST PAS AVOIR DES POUVOIRS QUE LES AUTRES N'ONT PAS.

C'EST AGIR. MÊME QUAND ÇA FAIT MAL. MÊME QUAND C'EST TROP DUR.

C'EST PAS VRAI !

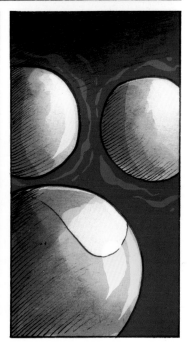

ON CONTINUE
AVEC LE GAZ !

KOF KOF !

ÉQUIPE BETA,
NOUS SOMMES
EN ROUTE !

CRASHHH!!

SSSHHH!!

LILI !

J'SUIS DÉSOLÉ, P'TITE SŒUR.

PROFESSEURE, IL FAUT PARTIR. MAINTENANT !

DÉPÊCHEZ-VOUS !

QU'EST-CE QUE... ?

COUREZ !

BENJI !

J'SUIS TROP CONTENTE DE TE REVOIR ! ÇA VA ?

ÇA VA P'TITE SŒUR...

ALLEZ, ON FILE MAINTENANT !

LA VOITURE EST PAR LÀ !

Maupomé & Dawid 5 VII 2018

À SUIVRE...

Déjà parus aux éditions de la Gouttière :

DE FRÉDÉRIC MAUPOMÉ ET DAWID

- SUPERS T. 1, UNE PETITE ÉTOILE JUSTE EN DESSOUS DE TSIH
- SUPERS T. 2, HÉROS
- SUPERS T. 3, HOME SWEET HOME
- SUPERS T. 4, SOLITUDES

DE FRÉDÉRIC MAUPOMÉ ET AUDE SOLEILHAC

- SIXTINE T. 1, L'OR DES AZTÈQUES
- SIXTINE T. 2, LE CHIEN DES OMBRES

DE FRÉDÉRIC MAUPOMÉ ET STÉPHANE SÉNÉGAS

- ANUKI T. 1, LA GUERRE DES POULES
- ANUKI T. 2, LA RÉVOLTE DES CASTORS
- ANUKI T. 3, LE COUP DU LAPIN
- ANUKI T. 4, DUEL DANS LA PLAINE
- ANUKI T. 5, GRAND-PIED
- ANUKI T. 6, LA GRANDE COURSE DU PRINTEMPS
- ANUKI T. 7, L'ARBRE DE VIE
- ANUKI T. 8, PETIT FRÈRE

DE DELPHINE CUVEELE ET DAWID

- PASSE-PASSE
- DESSUS DESSOUS
- PAS DE DEUX

SUIVEZ LA PAGE FACEBOOK DES SUPERS POUR DÉCOUVRIR
TOUTES LEURS ACTUALITÉS ET DES DESSINS INÉDITS !

HTTPS://WWW.FACEBOOK.COM/SUPERSLABD

HTTPS://WWW.FACEBOOK.COM/EDITIONSDELAGOUTTIERE

MAIS AUSSI :

LE BLOG DE FRÉDÉRIC MAUPOMÉ : HTTP://FREDERICMAUPOME.FR

LE BLOG DE DAWID : HTTP://DAWIDPOP.OVER-BLOG.COM